¡CRICK, C

PASANDO AQUÍ? DA L

LOS HUEVOS

¡MUY BIEN!
SON GROSSOMODO Y BERTÍN,
QUE HAN SALIDO DEL CASCARÓN.
¿Y AHORA QUÉ VA A PASAR?

¡CARAMBA! ¡ES INCREÍBLE! ¡GROSSOMODO ESTÁ CANTANDO TU CANCIÓN FAVORITA! ¿TE ANIMAS A CANTAR CON ÉL?

VAYA, PARECE QUE BERTÍN SE HA **ASUSTADO.**
¿QUÉ SUCEDE?

NADA, TODO ESTÁ TRANQUILO. ¡PERO DE REPENTE EL SUELO EMPIEZA A MOVERSE!
DALE LA VUELTA AL LIBRO Y PASA LA PÁGINA SIGUIENDO LA FLECHA AMARILLA.

¡UFFF! ¡SALVADO! ¡QUÉ DIVERTIDO ES VOLAR! **¿PERO** ADÓNDE IRÁ EL SOMBRERO NEGRO? PON EL LIBRO DERECHO Y PASA LA PÁGINA.

AH, AQUÍ TENEMOS A LUCAS, EL ERIZO. ¡QUÉ GRANDE ES!
¿TÚ CREES QUE SUS ESPINAS PINCHAN?
PRUEBA A TOCARLAS.

¡OH, SE
HA ASUSTADO
Y SE HA HECHO
UNA BOLA! INCLINA
EL LIBRO HACIA LA
DERECHA.

SE VA RODANDO. ¿HACIA DÓNDE?

UY, HA ENCONTRADO UN SITIO **ESTUPENDO.**

PERO PARECE QUE LAS RANAS ESTÁN ALGO **A B U R R I D A S .**

CROA FUERTE, A VER SI...

...SE ANIMAN UN POCO.
¡ESTUPENDO!
AHORA DALE UN BESO A LA RANA
GRANDE EN ESOS LABIOS TAN ROJOS.
¡VAMOS, QUE NO TE DÉ VERGÜENZA!

¡WAHHH...!
¡HAS CONVERTIDO A LA
RANA EN UN PRÍNCIPE!
¿Y SI LE DAS UN BESO?
¿EH? ¿QUÉ PASARÍA?

¡UY, QUÉ MALA SUERTE!

¿QUÉ HA PASADO
CON EL PRÍNCIPE?
NO TENGAS MIEDO,
ES UN MONSTRUO
MUY AMABLE.
LO QUE PASA ES
QUE LE PICA LA ESPALDA.
INTENTA **RASCARLE** CON
UNA MANO Y PASAR LA
PÁGINA CON LA OTRA.

¡HABÍA UN MONTÓN DE **PULGAS** ENTRE
LOS **PELOS DE LA PIEL DEL MONSTRUO!** Y NADA MÁS.
CANTA UNA CANCIÓN A VER QUÉ PASA.

¡BRAVO! ESTÁN BAILANDO EL VALS DE LA PULGA.
HAY UNA PAREJA DE ENAMORADOS QUE QUIERE SALIR
A DAR UN PASEO. ¿CÓMO ESTARÁ EL **CLIMA** FUERA?
LEVANTA LA PÁGINA DE LA DERECHA PARA MIRAR POR LA VENTANA.

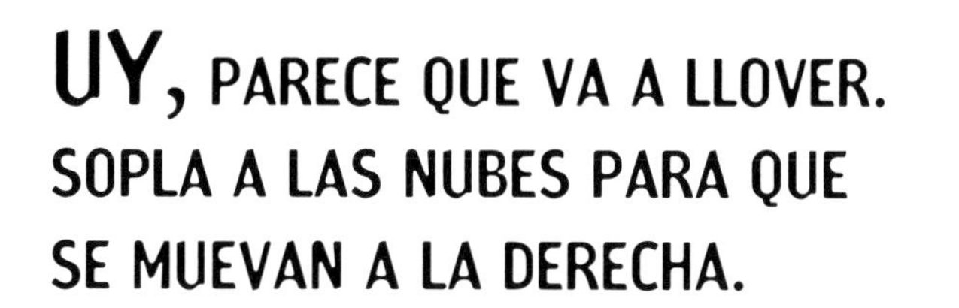

UY, PARECE QUE VA A LLOVER.
SOPLA A LAS NUBES PARA QUE
SE MUEVAN A LA DERECHA.

¡PERFECTO!

HAS HECHO QUE LA NUBE DESCARGUE
SU LLUVIA EN EL TONEL.
¿ADÓNDE CONDUCIRÁ ESA TUBERÍA?

¡A UN LABERINTO DE RATONES!

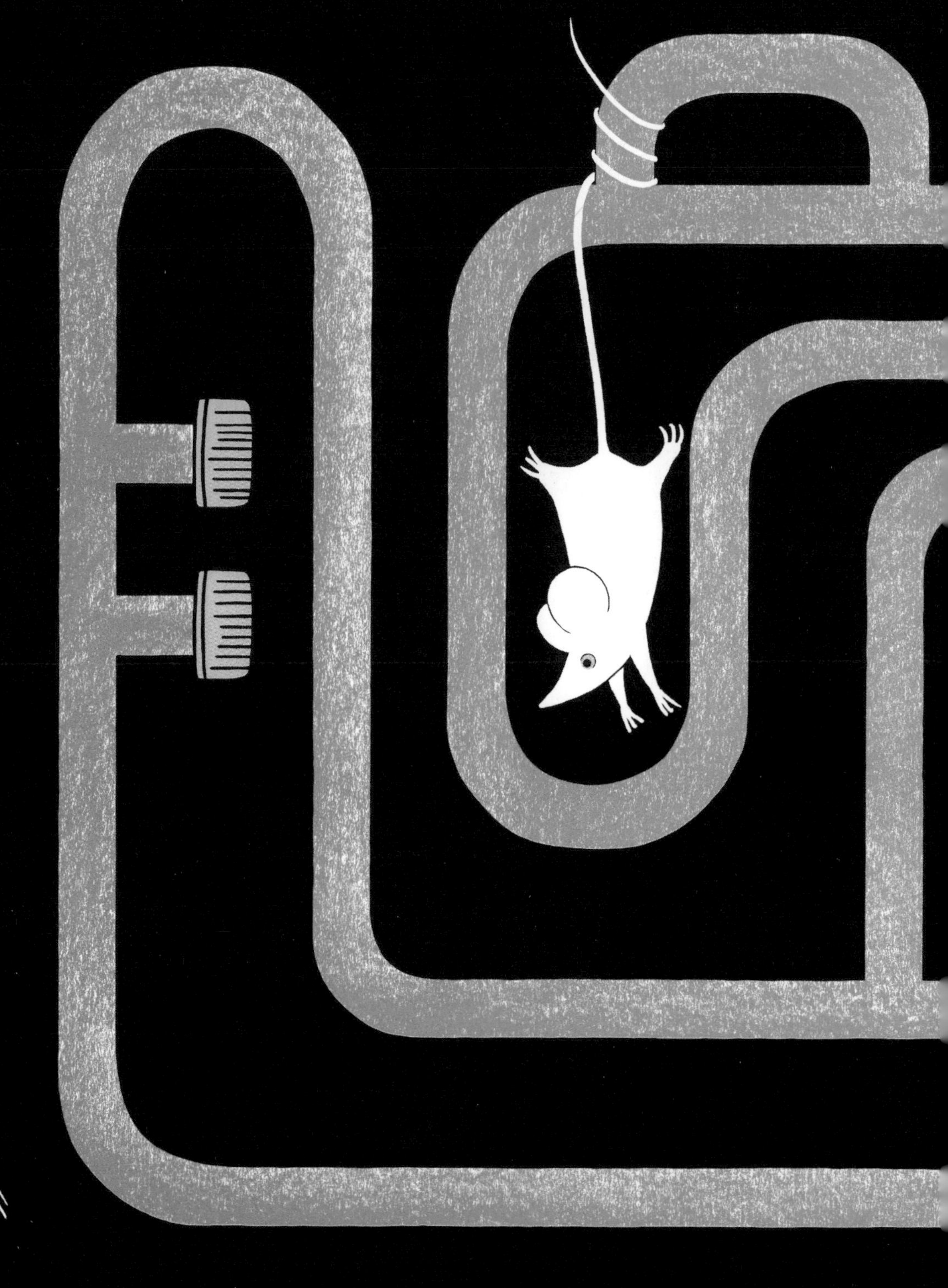

RECORRE CON TU DEDO EL CAMINO QUE SIGUE EL AGUA.

Helga

LA OSA PAULA ESTÁ NAVEGANDO EN EL MAR.
AGITA UN POCO EL LIBRO...

¡BIEN! ¡HAS HECHO **OLAS!**
YA ERA HORA DE QUE LA BARCA DE LA OSA
PAULA PUDIERA AVANZAR UN POCO.
¡AGÍTALO CON MÁS **FUERZA!**

¡BASTA, BASTA! ¡HAS HECHO OLAS MUY **GRANDES!**

LA BARCA DE LA POBRE PAULA
HA ZOZOBRADO, Y ELLA ESTÁ EMPAPADA.
¿POR QUÉ NO LA SECAS UN POCO
CON LA MANGA DE TU CAMISA?

GRACIAS, **ERES MUY AMABLE.** PAULA YA ESTÁ SECA Y HA QUEDADO GUAPÍSIMA CON TANTOS RIZOS. PERO SIENTE HAMBRE. **MMM... QUÉ BUEN ASPECTO** TIENEN ESAS PERAS. PON EL LIBRO BAJO UNA LÁMPARA, O HAZ QUE LE DÉ EL SOL.

¡MAGNÍFICO!
AHORA
TODAS LAS PERAS
ESTÁN MADURAS.
FREDO, EL GRANJERO,
QUIERE RECOGERLAS.
AGITA BIEN
EL LIBRO.

HAY **MUCHÍSIMAS** PERAS. FREDO ESTÁ **ENCANTADO.**
AHORA, SI NO TE IMPORTA, APLASTA LAS PERAS
CON LA YEMA DE TU DEDO.
¿QUÉ CREES QUE VA A PASAR?

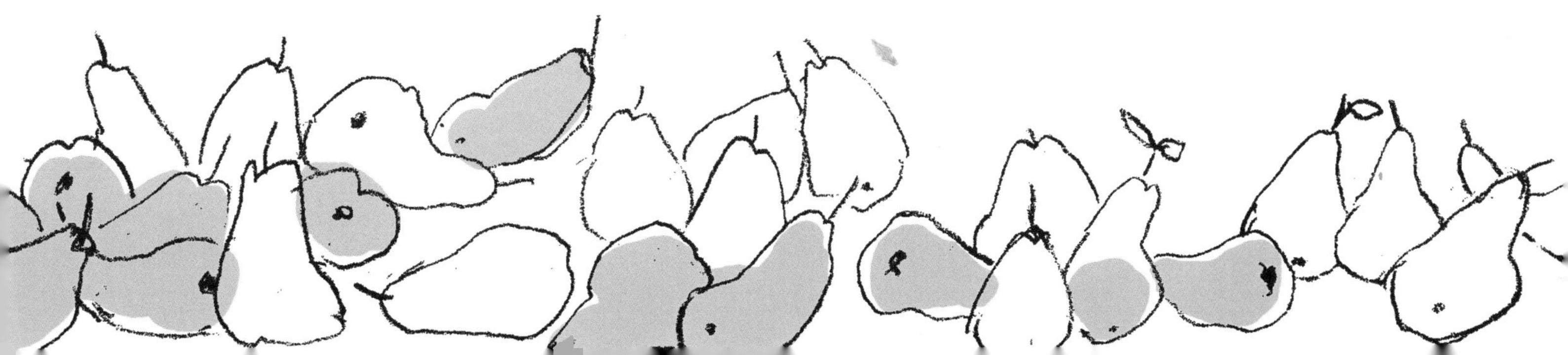

ESTUPENDO. COMPOTA DE PERAS.
CON ESTO PODEMOS HACER UN DELICIOSO **PASTEL.**
PERO ¿DÓNDE ESTÁ EL HORNO?

AH, AQUÍ LO TENEMOS. HAY QUE DEJAR EL PASTEL EN EL HORNO UN RATITO, PARA QUE SE HAGA. CUENTA HASTA DIEZ Y DESPUÉS PASA LA PÁGINA.

¡OH, VAYA, TE HAS PASADO DE TIEMPO!

A LO MEJOR AÚN PODEMOS SALVAR EL PASTEL.
SOPLA TODO LO FUERTE QUE PUEDAS.

¡HA HABIDO SUERTE!

SU ASPECTO ES MARAVILLOSO. PERO NO TIENE NINGUNA GRACIA COMÉRSELO SOLO.

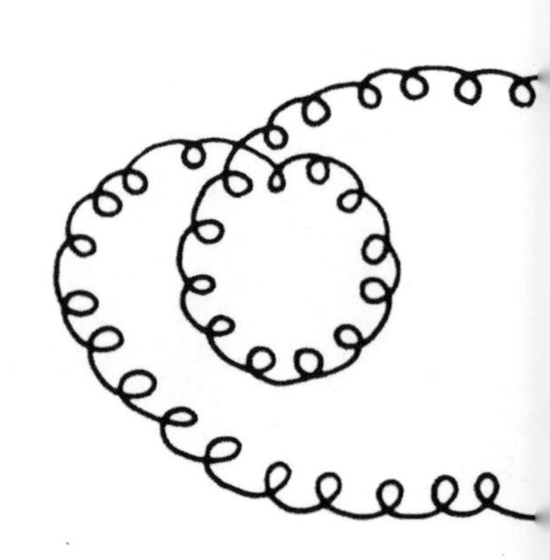

LLAMA AL **7 5 3 8 4.**

1 2 3
4 5 6
7 8 9
* 0 #

«¿RIKIRRAKARRUNTUNTÚN?» UFFF, HAS LLAMADO A UN TELÉFONO DE MARTE. MARSIMOTO ESTÁ MUY ENFADADO, PORQUE HAS INTERRUMPIDO SU PARTIDO DE BÁDMINTON. MEJOR SERÁ QUE LE DIGAS ALGO EN MARCIANO, A VER SI SE CALMA UN POCO.

¡MENOS MAL! PARECE QUE MARSIMOTO SE HA TRANQUILIZADO. AHORA EL MARCIANO SE HA ECHADO A DORMIR UN RATO. ¿CON QUÉ ESTARÁ SOÑANDO?

UN SUEÑO DIVERTIDÍSIMO.

PERO ¿QUÉ ESTÁ HACIENDO
EL TELÉFONO AHÍ ARRIBA?
¿Y QUÉ VA A HACER QUETO
EL BOCOTA CON TODAS
ESAS GALLETAS MARCIANAS?

¡CLARO!
QUETO ESTÁ
HAMBRIENTO.
SE QUIERE COMER
LAS GALLETAS MARCIANAS.
EL TAZÓN ENTERO.
GIRA EL LIBRO HACIA LA DERECHA.

¡MMM... ESTUPENDO! LA BOCA DE QUETO ESTÁ A REBOSAR
DE GALLETAS MARCIANAS. VA A TENER QUE MASTICAR
UN BUEN RATO. SUJETA BIEN EL LIBRO CON LAS DOS MANOS
Y ÁBRELO Y CIÉRRALO CINCO VECES.

¡QUÉ FAENA! ¡ALGO HA SALIDO MAL!

¡CUÁNTAS MIGAS!

A MIRTA LA GATA ESTO NO LE GUSTA NI UN PELO.

QUIERE IRSE. SIGÁMOSLA.

¡**MIRA,** MIRTA LA GATA SE
HA ENCONTRADO CON LOLO Y TINA!
LOS TRES QUIEREN IR AL PARQUE.
ENSÉÑALES EL **CAMINO.**

SIGUE LA LÍNEA CON EL DEDO
Y PASA LA PÁGINA.

¡HURRA! ¡LOS TRES
HAN LLEGADO MUY BIEN!
PERO EL CARRUSEL ESTÁ PARADO.
COLOCA EL LIBRO ENCIMA DE
UNA MESA, O EN EL SUELO,
Y DALE **VUELTAS.**

¡VALE, VALE! ¡CON TANTAS VUELTAS,
LOLO Y TINA SE HAN MAREADO!
¿Y QUÉ LE PASA A MIRTA LA GATA?
PASA LA PÁGINA Y LO SABRÁS.

¡SON CORAZONES VIAJEROS! ESTOS DOS SEGURO QUE ESTÁN ENAMORADOS Y LES GUSTARÍA BESARSE. PERO PARECEN UN POCO TÍMIDOS.

¿PODRÍAS APRETAR
EL INTERRUPTOR?

TE GUSTARÍA SABER QUÉ ESTÁ PASANDO, ¿VERDAD QUE SÍ?

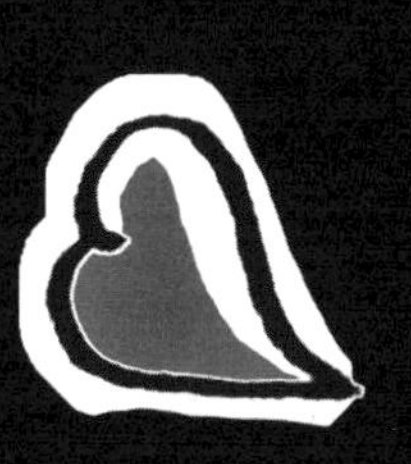

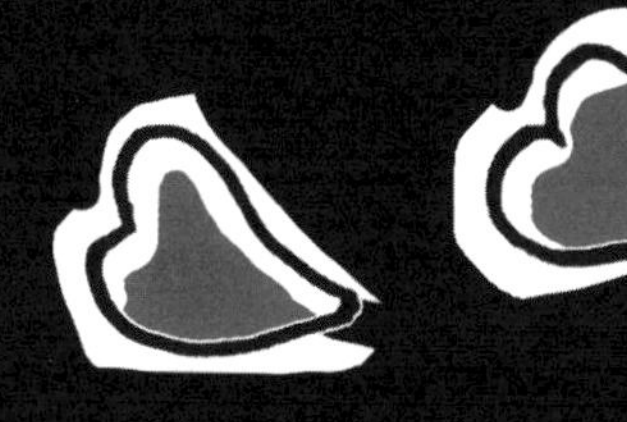

BUENO, PUES ENCIENDE LA LUZ OTRA VEZ...

LOS ENAMORADOS NO QUIEREN SER MOLESTADOS. SE HAN IDO.

PERO ¿QUÉ TENEMOS AQUÍ? A LA DERECHA HAY UN HUEVO ENORME Y OTRO MÁS PEQUEÑITO.

¿PUEDES DARLES UN POCO DE CALOR?

AHORA VUELVE AL COMIENZO DEL LIBRO Y VERÁS LO QUE PASA.

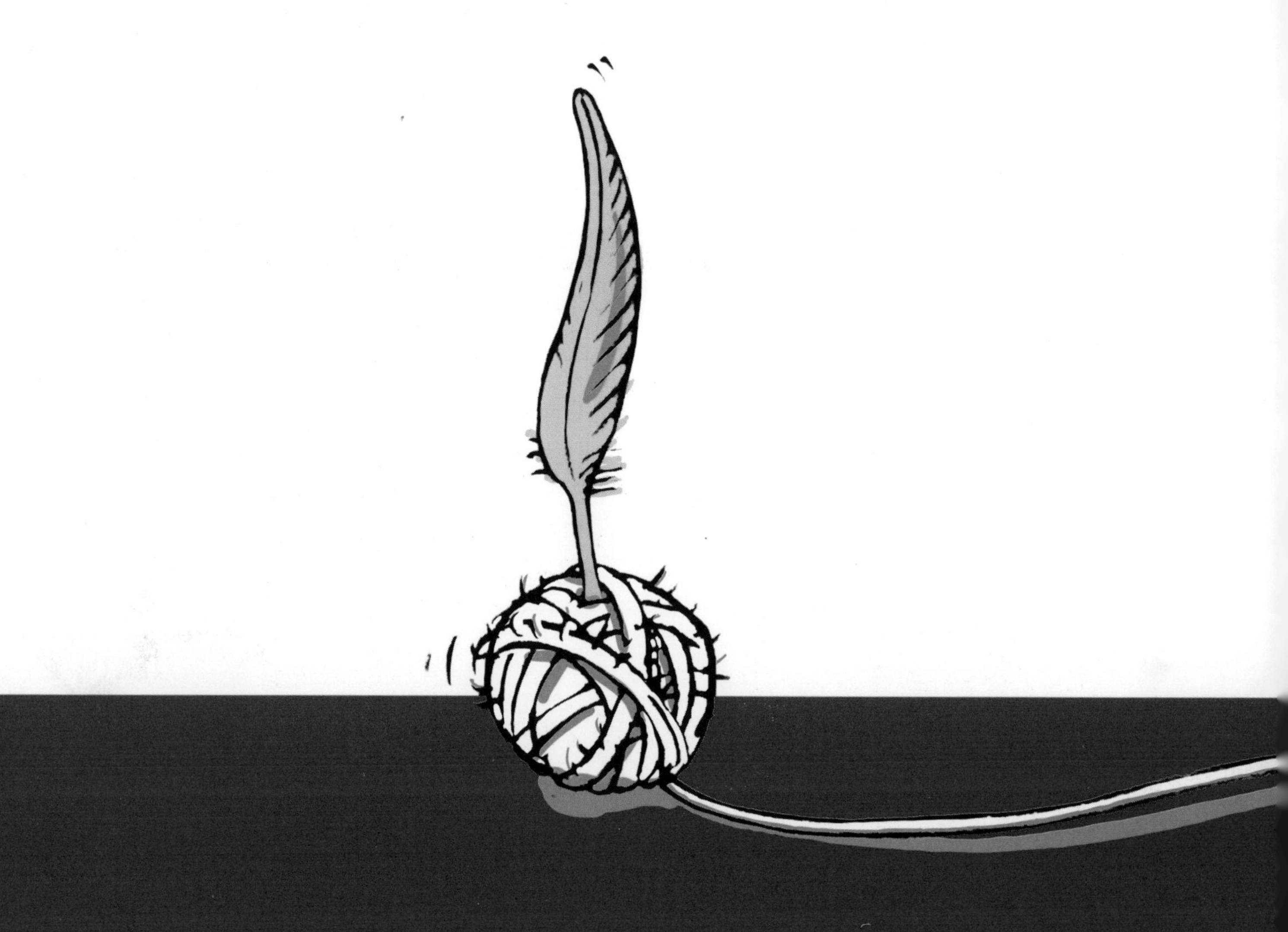